Wladimir Sutejew
Lustige Geschichten

WLADIMIR SUTEJEW

LUSTIGE GESCHICHTEN

BILDER VON WLADIMIR SUTEJEW

leiv

Das Küken und das junge Entlein

Ein Entenjunges kroch aus dem Ei.
„Ich hab mich durchgepickt“, sagte es.

„Ich auch“, piepste ein Küken.

„Ich geh spazieren“, sagte das Entenkind.
„Ich auch“, piepste das Küken.

„Ich buddele ein bisschen“, sagte das Entlein.
„Ich auch“, piepste das Küken.

„Ich hab einen Wurm geschnappt“, sagte das Entlein.
„Ich auch“, piepste das Küken.

„Einen Schmetterling hab ich gehascht“, schnatterte das Entlein.
„Ich auch“, piepste das Küken.

„Ich geh nun baden“, sagte das Entlein.
„Ich auch“, piepste das Küken.

„Ich kann aber schwimmen“, sagte das Entlein.

„Ich auch“, schrie das Küken.

„Hilfe! …“

Das Entenjunge zog das Küken aus dem Wasser.
„Ich geh noch mal baden“, sagte das Entlein.

„Ich – nicht“, piepste das Küken.

UdSSR

DREI
Kätzchen

Es waren einmal drei Kätzchen.
Eins war schwarz, das andere grau, das dritte weiß.

Da sahen sie eine Maus …

… und jagten sie!

Das Mäuschen sprang in ein Mehlfass.

Die Katzen ihm nach! Die Maus entkam.

Aus dem Mehlfass stiegen drei weiße Katzen.

Drei weiße Kätzlein sahen auf dem Hof einen Frosch und liefen ihm nach.

Das Fröschlein rettete sich in ein altes Ofenrohr.
Die Katzen sprangen hinterdrein.

Das Fröschlein hüpfte am anderen Ende wieder raus …

Aus dem Rohr stiegen drei kohlschwarze Katzen.

Drei schwarze Kätzlein sahen im Teich einen Fisch …

… und sprangen – plumps – hinein!

Der Fisch schwamm fort …

… und aus dem Wasser tauchten drei nasse Katzen auf.

Drei nasse Kätzchen stiefelten heimwärts.

Unterwegs trocknete die Sonne ihr Fell. Da waren es wieder drei kleine Kätzchen: eines war schwarz, das andere grau, das dritte weiß.

Unter
DEM PILZ

Eine Ameise wurde von einem Regenguss überrascht.
Wo sollte sie unterschlüpfen?
Da entdeckte sie auf der Wiese einen kleinen Pilz, sie rannte schnell hin und versteckte sich unter seinem Hut.

Nun saß sie hübsch im Trocknen und wartete den Regen ab.
Aber es regnete immer stärker und stärker.
Kam ein nasser Schmetterling zum Pilz gekrochen und bat:
„Ameise, liebe Ameise, mach mir doch ein Plätzchen unter dem Pilz frei!
Ich bin ganz durchnässt,
kann nicht mehr fliegen!“

„Wo willst du hier noch hin?“, antwortete die Ameise. „Ich hab selber kaum Platz.“
„Es wird schon gehen! Wenn auch in Enge, so doch in gutem Einvernehmen.“
Und die Ameise ließ den Schmetterling unter das Pilzhütchen schlüpfen.

Nun regnete es aber in Strömen …
Flitzt da ein Mäuschen herbei und piept:
„Lasst mich doch auch unter den Pilz! Das Wasser fließt in Bächen von meinem Fell.“
„Wohin sollen wir dich denn lassen?
Hier ist kein Millimeter mehr frei.“
„So rückt doch ein bisschen zusammen!“

Das taten sie denn, und das Mäuschen schlüpfte unter das Pilzdach. Der Regen aber rann und rann und wollte gar nicht aufhören.

Kommt ein Spatzenjunges angehüpft und weint:
„Nass ist mein Federkleidchen, müde sind die Flügelchen!
Nehmt mich auch unter den Pilz, damit ich ein wenig
ausruhe und trocken werde, bis der Regen aufhört."
„Hier ist kein Platz mehr."
„Rückt doch enger zusammen, bitte!"
„Na schön."

Sie rückten enger zusammen, und es fand sich für den Spatz noch ein Plätzchen.

Da aber hoppelte ein Hase auf die Waldwiese und sah den Pilz.
„Versteckt mich“, schrie er. „Helft mir,
der Fuchs ist hinter mir her.“
„Der Hase tut mir leid“, sprach die Ameise.
„Machen wir uns doch ein wenig dünner.“

Kaum hatten sie den Hasen unterm Pilz versteckt, kam auch schon der Fuchs angerannt.
„Habt ihr einen Hasen hier gesehen?“, fragte er.
„Nein“, antworteten sie.

Der Fuchs kam schnüffelnd näher.
„Hat er sich nicht hier versteckt?“
„Wo soll er sich denn hier verstecken?“
Schlug der Fuchs mit seinem schönen
Schweif und verschwand.

Da hörte der Regen auf, die liebe Sonne lugte aus den Wolken. Alle schlüpften unter dem Pilz hervor und freuten sich gar sehr.

Die Ameise wurde nachdenklich und sprach:
„Wie kann das nur sein? Zuerst war es für mich allein eng unter dem Pilz, und zuletzt hatten wir alle fünf Platz.“
„Qua-cha-cha! Qua-cha-cha!“, vernahmen sie plötzlich ein Lachen.
Sie schauten auf. Saß doch auf dem Pilzhut ein Frosch und hielt sich den Bauch vor Lachen.
„Ach, ihr Dummköpfe! Der Pilz ist doch …“
Er sprach nicht zu Ende und hüpfte quakend von dannen.
Da sahen sich alle den Pilz an und errieten, warum es zuerst für einen eng war und zuletzt alle fünf Platz hatten.
Habt ihr's auch erraten?

WER
hat
MIAU
gesagt?

Kulli lag auf der Matte vor dem Sofa und schlief.
Auf einmal hörte er, wie jemand „Miau“ sagte.
Er hob den Kopf, schaute sich um, schnüffelte ein bisschen und legte sich wieder hin.

„Ich habe sicher nur geträumt“, dachte Kulli und kuschelte sich gemütlich auf der weichen Matte zurecht.

Doch da sagte wieder jemand
laut und vernehmbar:
„Miau!“
„Nanu, wer ist denn das?“

Kulli lief durchs Zimmer, lugte unters Bett, unter den Tisch, doch es war niemand da.

Kulli sprang aufs Fensterbrett. Und was sah er? Spaziert doch auf dem Hof ein schöner stolzer Hahn einher.
„Freilich, der Hahn hat mich geweckt“, dachte Kulli und lief rasch auf den Hof.

„Hast du Miau gesagt?“, fragte Kulli den Hahn.
„Nein, ich sag nur ...“ Der Hahn schlug mit den Flügeln und krähte lustig: „Kikeriki!“
„Und kannst du sonst nichts?“, erkundigte sich Kulli.
„Nein, das ist alles“, erwiderte würdig der Hahn.

Kulli kraulte sich mit der Hinterpfote am Genick und trottete ins Haus zurück.
Doch vor der Haustür, bei den Stufen, sagte wieder jemand laut und deutlich: „Miau!“
„Jetzt hab ich dich!“, rief Kulli und begann geschwind mit allen vieren im Sand zu scharren.
Als er schon ein großes Loch gescharrt hatte, kam ein winziges graues Mäuslein hervorgesprungen.

„Hast du Miau gesagt?“, fragte Kulli grimmig.
„Nein-nein-nein-nein“, fiepte das Mäuslein ängstlich. „Sollte hier irgendjemand so was gesagt haben?“

„Jawohl, hier hat jemand Miau gesagt.“
„War es sehr nah?“, fragte das Mäuslein erschrocken.
„Ja, ganz nah“, versicherte Kulli.

„Ich hab solche Angst“, wisperte das Mäuslein, und schon war es unter die Treppe gehuscht.

Kulli stand ein Weilchen da und überlegte.
Plötzlich sagte jemand hinter der Hundehütte.
„Miau!“
Dreimal lief Kulli um die Hundehütte. Er fand niemand. Doch nun rührte sich drinnen etwas.
„Du entgehst mir nicht“, dachte Kulli und pirschte sich näher heran.

Knurrend kam ein riesiger
zotteliger Hund hervor.
„Entschuldigen Sie bitte …
… ich wollte nur …"
„R-r-r-r-r", knurrte der Hund noch böser.
„Haben Sie nicht zufällig Miau gesagt?",
stotterte Kulli und kniff den Schwanz ein.
„Ich? Willst mich wohl zum Narren halten,
du Milchbart!", schrie der Hund.

Erschrocken raste Kulli in den Garten, so schnell ihn seine Pfoten trugen, und versteckte sich unter einem Strauch.
Aber dicht an seinem Ohr hörte er es wieder leise sagen:
„Miau!“
Kulli schaute unterm Strauch hervor. Eine dicke, mollige Biene saß vor ihm auf einer Blume.

„Sicher hat sie Miau gesagt“, dachte Kulli und schnappte nach ihr.
„Sum-sum-sum“, machte die Biene beleidigt und stach den armen Kulli mitten auf die Nase.
Der schrie auf, weil es so wehtat, und machte sich davon.
Aber die Biene flog hinter ihm her und summte immerzu: „Sum-sum, ich s-s-s-steche dich. Ich s-s-s-steche dich.“
Kulli rannte und rannte und sprang vor lauter Angst in den Teich.

Als er prustend wieder hoch kam, war die Biene verschwunden.
Wieder sagte jemand:
„Miau!“
„Hast du Miau gesagt?“, fragte der nasse Kulli einen Fisch, der vorüberschwamm.
Aber der Fisch glotzte ihn nur an, schwenkte seinen schönen Fächerschweif und schwamm davon.

Auf dem tellerflachen Blatt einer Wasserrose saß ein Frosch.
„Quak-quak-quak. Weißt du denn nicht, dass die Fische stumm sind?“, quakte er spöttisch.
„Aha, dann hast du sicher Miau gesagt“, entgegnete Kulli dem grünen Kerlchen. Aber der Frosch lachte quakend.
„Du bist zu dumm. Frösche können doch nur quaken.“
Und er sprang ins Wasser, dass es spritzte.

Pudelnass, mit geschwollener Nase trottete Kulli nach Hause.
Traurig legte er sich auf die Matte vor dem Sofa.
Und da hörte er wieder:
„Miau!!!“

Mit einem Satz war er auf. Und was sah er?
Vom Fensterbrett schaute eine schöne gestreifte Katze zu ihm herab.

„Miau!“, sagte die Katze.
„Wau-wau!“, bellte Kulli. Doch dann fiel ihm ein, wie schön der zottelige Hund geknurrt hatte, also knurrte er auch:
„R-r-r-r-r.“

Die Katze machte einen hohen Buckel und fauchte:
„Sch-sch-sch-sch!“

Sie zog Kulli beim Ohr und sprang, schwups, aus dem Fenster.

Kulli legte sich wieder hin. Nun wusste er endlich, wer Miau gesagt hatte, und konnte ruhig schlafen.

RÄDER
GROSS und KLEIN

Ein Baumstumpf ragt auf, ein Häuschen steht drauf.
Drinnen wohnen Fliege, Frosch, Igel und der Gockel Goldkamm.
Einmal gehen sie in den Wald, um Blumen zu pflücken, Pilze zu sammeln,
Brennholz und Beeren zu suchen und kommen auf eine Lichtung.

Da sehen sie einen leeren Wagen stehen, aber einen ganz sonderbaren Wagen. Alle vier Räder sind verschieden: eines ganz klein, ein anderes etwas größer, ein drittes mittelgroß und das vierte am größten.
Der Wagen steht sicher schon lange da, denn unter ihm wachsen Pilze.
Fliege, Frosch, Igel und Gockel gucken und wundern sich.
Aus dem Gebüsch springt ein Hase, schaut auch und lacht.

„Ist das dein Wagen?", fragen sie den Hasen.
„Nein, das ist der Wagen vom Bären. Der hat ihn aber nicht fertig gekriegt und ihn stehen lassen. So steht er denn immer noch hier."

„Nehmen wir den Wagen mit nach Hause“, sagt der Igel. „In der Wirtschaft ist er zu gebrauchen.“
„Einverstanden“, sagen die andern.
Sie stemmen sich gegen den Wagen, aber der kommt nicht vom Fleck, er hat doch lauter verschiedene Räder.
Ein Stoß, noch ein Stoß – der Wagen dreht sich bald nach rechts, bald fällt er nach links. Auch der Weg ist schlecht, hier ein Loch, dort ein Hügelchen.
Der Hase platzt fast vor Lachen:
„Wer braucht so einen unnützen Wagen!“
Wenn auch alle schon müde sind, um den Wagen ist’s schade – in der Wirtschaft ist er doch gut zu gebrauchen.

„Nehmen wir jeder ein Rad!“, sagt der Igel.
Sie lösen die Räder vom Wagen und rollen sie heim: die Fliege das kleine Rad, der Igel das größere, der Frosch das mittelgroße und der Gockel hüpft auf das größte Rad, dreht’s mit den Füßen, schlägt mit den Flügeln und schreit: „Ki-ke-ri-ki-i!“

Der Hase wundert sich. „Diese Dummerchen – rollen verschieden große Räder nach Haus!“

Schließlich haben Fliege, Igel, Frosch
und Gockel die Räder heimgerollt.
Was sollen sie damit anfangen?
„Ich weiß es", sagt die Fliege, nimmt
das kleinste Rad und macht ein
Spinnrädchen draus.

„Ich weiß auch etwas", sagt der Igel. Nagelt an sein
Rad zwei Stangen an, legt zwei Bretter drüber
und hat nun einen Schubkarren.

„Ich weiß auch etwas",
sagt der Frosch und
befestigt das größere
Rad am Brunnen,
um leichter die mit
Wasser gefüllten Eimer
hochzuziehen.

Der Gockel schließlich lässt das größte Rad in den Bach hinab, stellt Mühlsteine dazu und baut eine Mühle.
Jetzt sind tatsächlich alle Räder in der Wirtschaft nützlich geworden:
Die Fliege spinnt Wolle auf dem Spinnrädchen.
Der Frosch holt Wasser aus dem Brunnen und gießt das Gemüse.
Der Igel schafft Pilze, Beeren und Brennholz auf dem Schubkarren aus dem Wald.
Und der Gockel mahlt Mehl in der Mühle.

Eines Tages kommt der Hase und will sehen, wie es ihnen geht.
Sie empfangen ihn als lieben Gast.
Die Fliege strickt ihm Fäustlinge, der Frosch bewirtet ihn mit einer Mohrrübe aus dem Gemüsegarten, der Igel mit Pilzen und Beeren und der Gockel mit Keksen und Käsekuchen.

Da schämt sich der Hase.
„Verzeiht mir", sagt er. „Ich hab euch ausgelacht, jetzt aber sehe ich, wie klug ihr seid. Selbst so verschiedene Räder können nützlich sein."

DAS SCHIFFCHEN

Frosch, Küken, Maus, Ameise und Käfer gingen spazieren.
Sie kamen zu einem Bach.

„Baden wir!“, sagte der Frosch und sprang ins Wasser.

„Wir können nicht schwimmen“, sagten Küken, Maus, Ameise und Käfer. „Quak-quak-quak! Quak-quak-quak!“, lachte der Frosch. „Wozu seid ihr schon zu gebrauchen!“

Küken, Maus, Ameise und Käfer ärgerten sich. Sie dachten nach, dachten lange nach – und dachten sich etwas aus.

Das Küken kam mit einem Blatt,

die Maus mit einer Nussschale,

die Ameise schleppte einen Strohhalm herbei

und der Käfer einen Bindfaden.

Dann ging's an die Arbeit: In die Nussschale kam der Strohhalm, daran banden sie das Blatt – und hatten ein Schiffchen mit Segel.

Das schoben sie ins Wasser, setzten sich hinein und schwammen los!

Der Frosch steckte den Kopf aus dem Wasser, wollte noch mal lachen, aber das Schiffchen segelte schon in der Ferne. Man holt es nicht mehr ein!

STÖCKCHEN
Retter-
in-der-NOT

Der Igel war auf dem Heimweg. Unterwegs holte ihn der Hase ein, und beide gingen gemeinsam weiter. Zu zweit geht es sich besser.
Da lag quer über dem Weg ein Stöckchen.
Der Hase hatte es beim Erzählen nicht bemerkt, stolperte darüber und wäre beinahe gestürzt.
„Dummer Stock!“, schimpfte er und versetzte dem Stöckchen einen Tritt, dass es beiseite flog.
Der Igel hob das Stöckchen auf, nahm es über die Schulter und eilte dem Hasen nach.
Der Hase wunderte sich.
„Wozu brauchst du es? Was soll das?“
„Das ist kein einfaches Stöckchen“, erklärte der Igel. „Es ist Stöckchen Retter-in-der-Not.“
Der Hase schüttelte seinen Kopf.

Sie gingen weiter und kamen an einen Bach. Mit einem Satz war der Hase am anderen Ufer, drehte sich zum Igel um und rief:

„He, Stachelkopf, wirf das Stöckchen weg, mit dem kommst du nicht hinüber!"
Der Igel aber trat ein paar Schritte zurück, nahm Anlauf und setzte das Stöckchen in der Mitte des Baches auf. Im Nu war er am anderen Ufer und stand, als wäre nichts geschehen, wieder neben dem Hasen.
Da staunte der Hase.
„Du springst aber prima!"
„Ich kann gar nicht springen", entgegnete der Igel, „das Stöckchen Spring-hinüber hat mir geholfen."

Sie gingen weiter und kamen alsbald an einen Sumpf. Der Hase sprang von Schilfinsel zu Schilfinsel. Der Igel lief hinter ihm und prüfte mit dem Stöckchen den Weg.
„He, Stachelkopf, warum so langsam? Dein Stöckchen …"
Da war er schon von einer Schilfinsel abgerutscht und steckte bis an die Ohren im Sumpf. Gleich würde er untergehen.

Der Igel tastete sich zur nächstgelegenen Schilfinsel vor und rief dem Hasen zu:
„Halte dich am Stöckchen fest! Pack es!“
Der Hase ergriff das Stöckchen und der Igel zog seinen Freund aus dem Sumpf.
Als beide auf dem Trocknen standen, sprach der Hase zum Igel:
„Ich danke dir, Igel, du hast mich gerettet.“
„Aber nein! Das war Stöckchen
Retter-in-der-Not-zieh-mich-heraus.“

Sie gingen weiter. Am Rande des großen dunklen Waldes sahen sie ein Vogeljunges auf der Erde liegen. Es war aus dem Nest gefallen und piepste jämmerlich, die Eltern flatterten um ihn herum und wussten sich keinen Rat. „Helft uns, helft!“, tschilpten sie.
Das Nest lag zu hoch. Weder Hase noch Igel vermochten auf Bäume zu klettern. Helfen mussten sie aber.

„Stell dich gegen den Baum!“, befahl der Igel dem Hasen.
Der Hase stellte sich an den Baum. Der Igel setzte das Vogeljunge auf das Stöckchen und stieg damit auf die Schultern des Hasen. Er hob das Stöckchen so hoch er konnte, und siehe da, es reichte gerade bis ans Nest.
Das Vogeljunge piepste noch einmal und sprang direkt ins Nest.
Vater und Mutter umflatterten voller Freude Hase und Igel und tschilpten:
„Danke! Danke! Danke!“
„Das hast du dir gut ausgedacht, Igel“, lobte ihn der Hase.
„Ach was! Das war doch das Stöckchen Retter-in-der-Not-heb-mich-hoch!“

Sie gingen weiter und kamen immer tiefer in den dunklen Wald hinein. Der Hase bekam es mit der Angst zu tun. Der Igel aber ließ sich nichts anmerken: Er ging voran und teilte mit dem Stöckchen die Zweige.
Plötzlich trat ein riesiger Wolf hinter einem Baum hervor und versperrte ihnen den Weg.
„Halt!“, rief er.
Hase und Igel blieben stehen.
Der Wolf leckte sich das Maul, knirschte mit den Zähnen und sagte:
„Dich, Igel, rühre ich nicht an, du bist zu stachlig, aber dich, Hase, fresse ich mit Haut und Haaren!“

Der Hase zitterte, vor Angst war sein Fell so weiß geworden wie im Winter und seine Beine versagten ihm den Dienst. Er schloss die Augen – gleich würde ihn der Wolf fressen.
Aber der Igel hatte die Fassung bewahrt. Er holte mit seinem Stöckchen aus und versetzte dem Wolf einen heftigen Schlag auf den Rücken.
Der Wolf heulte vor Schmerz auf, machte einen Satz – und war verschwunden.
„Hab Dank, Igel, du hast mich nun auch vor dem Wolf gerettet!“
„Das war das Stöckchen Retter-in-der-Not-schlag-den-Feind!“, erwiderte der Igel.

Sie gingen weiter, hatten nun den Wald hinter sich gelassen und kamen auf einen Weg, der steil anstieg.
Der Igel ging voran. Er stützte sich auf sein Stöckchen. Der arme Hase war zurückgeblieben, denn er konnte sich vor Schwäche kaum noch auf den Beinen halten.
Bis nach Hause war es nicht mehr weit, doch da verließen den Hasen vollends die Kräfte.
„Das macht nichts", sagte der Igel, „halte dich nur an meinem Stöckchen fest."
Der Hase packte das Stöckchen, und der Igel zog den Hasen den Berg hinauf.

„Schau an“, sagte der Hase zum Igel, „dein Stöckchen Retter-in-der-Not hat mir auch dieses Mal geholfen.“
So brachte der Igel den Hasen nach Hause, wo ihn seine Frau und die Kinder sehnsüchtig erwarteten.
„Wenn dein Zauberstöckchen Retter-in-der-Not nicht gewesen wäre, hätte ich mein Heim nie erreicht“, seufzte der Hase dankbar.
Der Igel erwiderte:
„Ich schenke dir das Stöckchen, vielleicht wird es dir noch von Nutzen sein.“
„Wie willst du ohne das Zauberstöckchen auskommen?“
„Lass nur“, entgegnete der Igel, „ein Stöckchen ist immer zu finden, aber ein Retter in der Not“, – er klopfte sich an die Stirn – „der ist hier!“
Der Hase verstand.
„Du hast recht. Nicht das Stöckchen ist wichtig, sondern ein kluger Kopf und ein gutes Herz!“

DER
APFEL

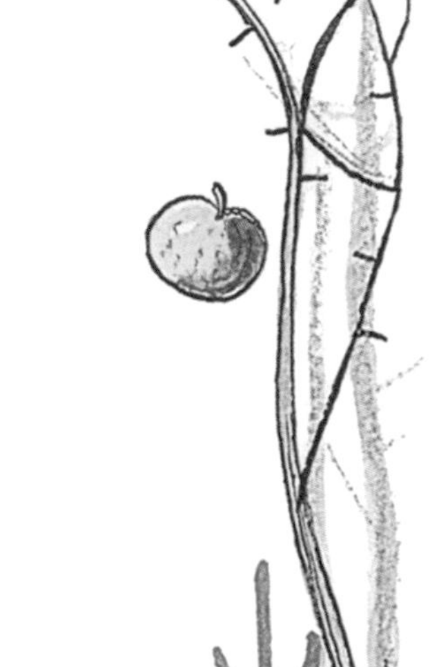

Es war Spätherbst. Die Bäume hatten ihr Laub längst verloren, und nur an einem wild wachsenden Apfelbaum hing in der Krone noch ein Apfel.
Da lief ein Hase durch den Wald und sah den Apfel. Wie sollte er aber da herankommen, so hoch konnte er nicht springen!
„Krah-krah!"
Auf der Tanne saß eine Krähe und lachte ihn aus.
„He, Krähe!", rief der Hase. „Hol mir doch den Apfel!"
Die Krähe flog zum Apfelbaum und pflückte den Apfel. Und weil er so schwer war, fiel er ihr aus dem Schnabel.

„Hab Dank, Krähe!", sagte der Hase und wollte den Apfel aufheben, der aber fauchte, als wäre er lebendig, und lief auch noch davon.
Was sollte das?
Der Hase erschrak, erkannte aber bald, weshalb das so war: Der Apfel war auf einen schlafenden Igel gefallen, der erschrocken mit dem Apfel auf den Stacheln losgestürzt war.
„Halt! Bleib stehen!", rief der Hase ihm nach.
„Wohin willst du mit meinem Apfel!"

Der Igel blieb stehen.
„Das ist mein Apfel. Er ist heruntergefallen und ich habe ihn aufgefangen."
Der Hase rannte zum Igel.
„Gib mir sofort den Apfel zurück! Ich habe ihn entdeckt!"
Da kam auch die Krähe angeflogen.
„Das ist mein Apfel, ich habe ihn gepflückt!", krächzte sie.
Keiner wollte dem anderen Recht geben, jeder schrie, es wäre seiner.
Der Lärm hallte durch den ganzen Wald. Die drei rauften sich bereits:
Die Krähe hatte den Igel in die Nase gezwickt, der Igel hatte den Hasen mit seinen Stacheln gestochen und der Hase die Krähe mit dem Fuß getreten.

Da kam der Bär gelaufen und brüllte:
„Was soll das? Was soll der Lärm?"
Alle drei stürzten zu ihm:
„He, Großer, du bist der Klügste im Wald. Sag, wer soll den Apfel haben."
Sie erzählten dem Bären, was geschehen war.

Der Bär dachte nach, kratzte sich hinterm Ohr und fragte:

„Wer hat den Apfel gefunden?“
„Ich!“, antwortete der Hase.

„Und wer hat ihn gepflückt?“
„Ich“, krächzte die Krähe.

„Wer hat ihn aufgefangen?“
„Ich!“, sagte der Igel.

„Also habt ihr alle recht, und deshalb muss jeder von euch einen Apfel bekommen."
„Aber es ist doch nur einer!", sagten Hase, Igel und Krähe.
„Teilt den Apfel in gleiche Teile und nehmt euch jeder ein Stück."
„Warum ist uns das nicht gleich eingefallen?", wunderten sich die Tiere.
Der Igel nahm den Apfel und teilte ihn in vier Stücke.
Ein Stück reichte er dem Hasen:
„Das ist für dich, Hase, du hast den Apfel als Erster entdeckt."
Das zweite Stück gab er der Krähe:
„Das ist für dich, Krähe, du hast den Apfel gepflückt."

Das vierte Stück legte der Igel dem Bären in die Pfote.
„Und das ist für dich, Großer."
„Wieso für mich?", wunderte sich der Bär.
„Weil du uns Verstand gelehrt hast!"

DAS MÄUSCHEN
und
der Bleistift

Auf Wowas Tisch lag ein Bleistift.
Eines Tages, als Wowa gerade schlief, kroch ein Mäuschen aus seinem Loch hervor geradewegs auf den Tisch. Da sah es den Stift, tastete vorsichtig an der Spitze und wollte ihn in sein Mauseloch schleppen.

„Lass mich“, flehte der Bleistift, „wozu brauchst du mich denn? Ich bin aus Holz, essen kannst du mich sowieso nicht.“

„Aber benagen“, antwortete das Mäuschen. „Meine Zähne verlangen das, immerfort muss ich etwas nagen. Siehst du, so!“ Und die Maus biss den Bleistift.
„Aua“, schrie der. „Lass mich wenigstens ein letztes Mal etwas zeichnen, nachher kannst du mit mir machen, was du willst.“

Das Mäuschen war einverstanden. „Zeichne nur. Danach aber zernage ich dich in kleine Stückchen.“

Der Bleistift seufzte auf und zeichnete dann einen Kreis.
„Wird das ein Käse?“, fragte das Mäuschen.

„Vielleicht wird's einer“, antwortete
der Bleistift und zeichnete drei kleine Kreise in den großen.
„Gewiss ist das ein Käse, und das sind die Löcher drin“,
meinte das Mäuschen.

„Vielleicht sind's Löcher", stimmte der Bleistift zu und zeichnete noch einen großen Kreis daneben.

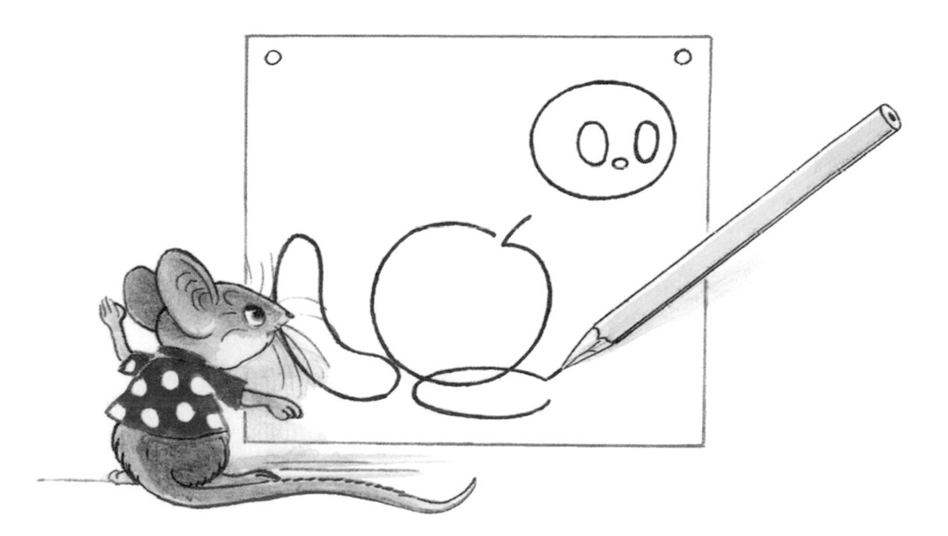

„Ein Apfel", rief das Mäuschen laut.
„Vielleicht ist's einer", sagte der Bleistift und malte zum Kreis noch zwei Würstchen.

„Das sind Bockwürstchen“, jauchzte das Mäuschen und leckte sein Schnäuzchen. „Na, mach schon, meine Zähne lassen mir keine Ruhe, sie wollen schon schrecklich gern etwas benagen.“

„Warte noch ein Weilchen“, sagte der Bleistift listig.
Als er aber zwei kleine Dreiecke hinmalte, schrie das Mäuschen: „Das sieht ja wie eine Kat … Halt, mach nicht weiter!“

Aber da hatte der Bleistift schon lange
Barthaare hingezeichnet.
„Das ist ja eine richtige Katze“, piepste das
Mäuschen erschrocken und lief wie gejagt zu
seinem Mauseloch.
Von nun an wagte das Mäuschen nicht mehr,
seine Nase aus dem Loch herauszustecken.
Der Bleistift ist bis heute noch bei Wowa.
Nur ist er abgenutzt und ganz klein geworden.
Kann dein Bleistift auch einen Mäuseschreck malen?

DER HAHN
und die
MALFARBEN

Wowa hat einmal einen Hahn gezeichnet, aber vergessen, ihn bunt anzumalen.

Der Hahn ging spazieren und traf den Hund.
„Was läufst du denn so unangemalt in der Welt herum?“, wunderte sich der Hund.

Der Hahn spiegelte sich im Wasser. Der Hund hatte recht.

„Sei nur nicht traurig“, meinte der Hund, „geh zu den Farben, sie werden dir helfen!“

Da ging der Hahn zu den Farben und bat:
„Liebe Farben, ach, helft mir doch!“

„Gern“, sagte das Rot und malte ihm den Kamm und den Bart.

„Gern“, sagte das Blau und strich ihm die Schwanzfedern an.

„Gern“, sagte das Grün und bemalte die Flügel.

Und das Gelb schmückte ihm die Brust.

„So, jetzt bist du ein richtiger Hahn“, stellte der Hund zufrieden fest.

Aber diesen Hahn mal selber an. Vergiss auch das Küken nicht.
Es hat ein gelbes Federkleid.

Ein launenhaftes
KÄTZCHEN

Mascha saß am Tisch und malte.
Plötzlich sprang die gestreifte Katze hinter sie und schaute dem Mädchen zu.

„Was machst du da?“, fragte sie.
„Ich zeichne ein Häuschen für dich“, antwortete das Mädchen. „Sieh mal, das ist das Dach, das der Schornstein und hier ist die Tür.“
„Und was soll ich da anfangen?“
„Du wirst den Ofen heizen und Brei kochen.“

Mascha malte den Rauch, der aus dem Schornstein stieg.
„Und wo sind die Fenster? Katzen springen doch durchs Fenster ins Zimmer.“

„Hier hast du Fenster. Eins, zwei, drei, vier …“, antwortete das Mädchen und malte vier Fenster. „Und wo werde ich spazieren gehen?“

„Hier."
Das Mädchen zeichnete einen Zaun rund um das Haus.
„Das ist der Garten", erklärte das Mädchen.
Die Katze sah sich das an und fauchte:
„Was ist das nur für ein Garten, da wächst ja nichts."

„Warte“, sagte Mascha, „hier, bitte, hast du ein Blumenbeet, dort steht ein Apfelbaum mit Äpfeln, und auf den Gemüsebeeten wachsen Kraut und Möhren.“
„Kraut!“ Die Katze rümpfte die Nase. „Ich will Fische fangen!“

Da zeichnete Mascha einen Teich, in dem schwammen Fische.
„Schön. Und wird es auch Vögel geben?“, fragte die Katze neugierig. „Ich habe Vögel so gern.“

„Jawohl. Hier ist eine Henne, daneben ein Hahn, eine Gans ist auch da und noch drei Küken."
Die Katze beleckte sich gierig, schnurrte und fragte ganz leise:
„Wird's in dem Haus auch Mäuse geben?"
„Nein, Mäuse gibt's dort nicht."
„Und wer wird mein Häuschen bewachen?"

„Bewachen?"
Mascha zeichnete eine Hundehütte.
„Das Häuschen wird Bobik
bewachen."
Die Katze streckte den Schwanz steil
in die Höhe, und ihr Fell sträubte
sich.

„Solch ein Haus gefällt mir nicht“, erklärte die Katze.
„Ich werde dort nicht wohnen.“
Beleidigt sprang sie davon.
So ein launenhaftes Kätzchen war das.

Der
Tannenbaum

Als die Kinder heute Morgen auf den Kalender sahen, hing da nur noch das letzte Blatt.

Morgen ist Neujahr. Morgen ist Tannenbaumfeier. Der Baumschmuck wird bald fertig sein, aber noch ist keine Tanne im Haus. Da schrieben die Kinder an den Großvater Frost und baten ihn, aus dem Wald einen Tannenbaum zu schicken, natürlich den größten und schönsten.

Lieber Großvater Frost!
Schenk uns doch bitte einen
Tannenbaum zum Neujahrsfest.
Den Baumschmuck
fertigen wir selber an!
Den Brief bringt
Dir unser
Schneemann.

Grüße von
uns Kindern.

Das ist
der Schneemann!

An den
Großvater Frost
von uns Kindern

Danach liefen sie auf den Hof, um einen Schneemann zu bauen.

Die einen schaufelten den Schnee zusammen, die andern rollten ihn zu Kugeln.
Der Schneemann bekam einen alten Eimer auf den Kopf, zwei Kohlenstückchen als Augen und eine Mohrrübe als Nase.
Fein sah er aus, der Schneemann!

Die Kinder gaben ihm den Brief und sangen:

Schneemann, Schneemann, hör gut zu,
braver, weißer Schneemann du.
Geh doch in den dunklen Wald,
gib den Brief ab, aber bald.

Großvater Frost bekommt den Brief,
findet den Baum im Walde tief.
Schön, hoch und dicht, so steht er da,
in seinem grünen Nadelhaar.

Diese Tanne, ganz geschwind,
bring den Kindern wie der Wind.

Der Abend brach an, die Kinder gingen nach Hause. Der Schneemann aber klagte: „Eine schöne Arbeit! Wohin soll ich nur gehen?“

„Nimm mich doch mit“, sagte plötzlich Bobik, das kleine Hündchen. „Ich helfe dir den Weg finden.“

„Stimmt. Außerdem ist es lustiger zu zweit, du wirst mich und den Brief bewachen und dir den Weg gut merken.“

Lange, lange gingen der Schneemann und Bobik, endlich kamen sie in den dichten Winterwald.

Ein Hase kam ihnen entgegengesprungen.
„Wo wohnt hier der Großvater Frost?“, fragte ihn der Schneemann.
Aber der Hase hatte keine Zeit zu antworten – ein Fuchs war ihm auf den Fersen.

Da bellte Bobik laut und setzte selber hinter dem Hasen her.

Der Schneemann wurde traurig.
„So werde ich nun allein weiterwandern müssen.“

Doch da erhob sich ein Sturmwind. Der Schnee wirbelte und toste nur so um den armen Schneemann.

Er zitterte, bebte, und plötzlich zerfiel er. Auf der weißen Schneedecke blieben nur der Brief, der Eimer und die Rübe liegen.

Kam der Fuchs böse zurück.
„Wer hat mich hier gestört bei der Hasenjagd?"
Er schaute sich um, aber weit und breit war niemand zu sehen. Nur ein Brief lag im Schnee. Der Fuchs nahm den Brief in die Schnauze und trabte davon.

Nun stand Bobik allein im Wald und weinte bitterlich. „Geschieht dir ganz recht, warum jagst du auch hinter uns her und erschrickst uns!“, spotteten die Hasen.

„Ich werd euch nicht mehr erschrecken, werd nie mehr hinter euch herjagen“, schluchzte Bobik noch lauter.

„Heul nicht, wir helfen dir“, sprachen die Hasen.
„Und wir helfen den Hasen“, sagten die Eichhörnchen.

Nun machten sich alle daran, einen Schneemann zu bauen. Mit ihren Pfötchen klopften sie den Schnee fest, mit ihren Schwänzen fegten sie ihn glatt. Als Mütze bekam der Schneemann wieder den Eimer aufgestülpt, die Augen machten sie aus Kohle, und die Mohrrübe wurde zur Nase. „Danke schön“, sagte der Schneemann, „jetzt müsst ihr mir nur noch helfen, Großvater Frost zu finden.“

Sie führten ihn zum Bären, der in seiner Höhle schlief und kaum wach zu bekommen war.
Der Schneemann erzählte dem Bären, dass ihn die Kinder mit einem Brief zu Großvater Frost geschickt haben.
„Mit einem Brief?“, brummte der Bär.
„Wo ist er denn?“
Doch der Brief war weg!

„Ohne Brief gibt euch Großvater Frost keine Tanne“, erklärte der Bär. „Geht lieber nach Haus, ich werd euch durch den Wald begleiten.“
Da plötzlich, hast du nicht gesehen, kam die Elster angeflogen und schnatterte: „Hier ist der Brief! Hier ist der Brief!“
Sie erzählte, wie sie zu dem Brief gekommen war.

Das hat sich so zugetragen.

Jetzt machten sich alle
mit dem Brief auf den
Weg zu Großvater Frost.

Aufgeregt eilte der Schneemann
voran, kullerte mal einen Hang
herab, versank auch mal in einem
Graben oder stolperte über einen
Baumstumpf.

Gut, dass der Bär ihm immer heraushalf.

Endlich kamen sie zu Großvater Frost.
Der las den Brief und sagte:
„Warum denn so spät, Schneemann? Du kannst die Tanne den Kindern nicht mehr rechtzeitig zu Neujahr bringen.“

Doch da erzählten alle, was sich mit dem Schneemann zugetragen hatte. Was blieb Großvater Frost anderes übrig als seinen Schlitten zu holen, und der Schneemann fuhr im Galopp mit der Tanne zu den Kindern.

Der Bär tappte in seine Höhle zurück, um bis zum Frühling weiterzuschlafen.

Am nächsten Morgen stand der Schneemann längst wieder an seinem alten Platz im Hof, direkt neben einem schönen großen Tannenbaum.

WAS
MAG
DAS
für ein
VOGEL
SEIN?

Es war einmal ein dummer und neidischer Gänserich.
Alles wollte er haben, immer widersprach er und fauchte alle an. Die Tiere schüttelten schon die Köpfe über ihn und sagten:
„Was für ein unangenehmer Kerl."
Eines Tags sah der Gänserich auf dem Teich einen Schwan. Der hatte einen wunderschönen langen Hals.
„Ach, so einen Hals möchte ich auch haben", dachte der Gänserich und bat den Schwan:
„Überlass mir doch bitte deinen Hals, ich werde dir meinen dafür geben. Wir wollen tauschen."
Der Schwan überlegte ein Weilchen, dann ging er darauf ein.
Sie tauschten.

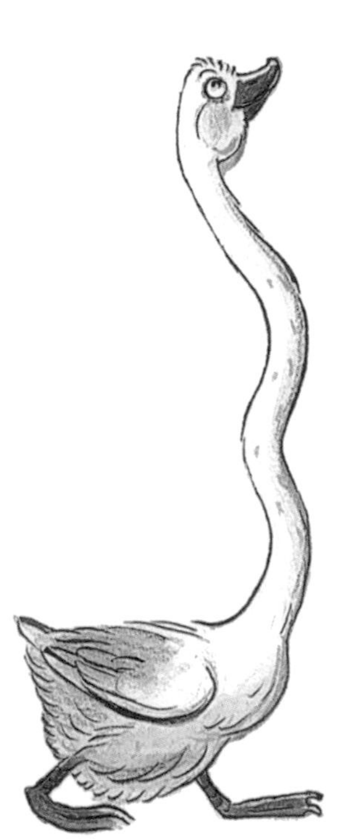

Der Gänserich wanderte seiner Wege. Er hatte nun einen schönen langen Hals, aber er wusste nicht, was er mit ihm anfangen sollte. Er drehte ihn hin, er drehte ihn her, ja, er rollte ihn sogar zusammen, der Hals war einfach unbequem.
Ein Pelikan, der unsern Gänserich sah, fing laut zu lachen an.
„Nein, du bist aber komisch", sagte er.
„Bist kein Schwan und auch kein Gänserich!"
Das kränkte den Gänserich sehr, und er wollte schon losfauchen. Doch da bemerkte er den großen Beutelschnabel des Pelikans.
„Ach, wenn ich so einen hätte", dachte der Gänserich. Und er sagte zu dem Pelikan:
„Lass uns tauschen. Du kannst dir meine rote Nase nehmen, gib mir stattdessen deinen Beutelschnabel."
Der Pelikan lachte über den Vorschlag, aber er sagte nicht nein.
Sie tauschten.

Dem Gänserich begannen die Tauschgeschäfte Spaß zu machen.
Er traf einen Kranich und tauschte mit ihm die Beine.

Einem Raben gab er seine kräftigen weißen Gänseschwingen und bekam dafür kleine schwarze Rabenflügel.

Dem Pfau musste der Gänserich lange, lange zureden, bis er seinen herrlichen bunten Schweif hergab für ein kümmerliches Bürzelchen.

Dafür schenkte der Hahn dem Gänserich seinen Kamm samt dem Bart und obendrein noch sein Kikeriki.

Niemand auf der Welt glich nun unserem Gänserich. Auf seinen langen Kranichbeinen stolzierte er einher, wackelte mit den winzigen Rabenflügeln und drehte den langen Schwanenhals nach allen Seiten. Da begegnete ihm eine Gänseschar.
„Was mag das für ein Vogel sein?“, schnatterten und tuschelten sie fröhlich.

„Ich bin ein Gänserich“, rief der Gänserich, schlug mit den Rabenflügeln, reckte den Schwanenhals und schrie aus seiner Pelikankehle, so laut er konnte: „Kikeriki, ich bin der schönste Vogel allhie!“
„Wenn du ein Gänserich bist, so komm mit“, sagten die Gänse.

Sie zogen auf eine grüne Wiese und begannen Gras abzurupfen. Der Gänserich versuchte dies auch, aber mit seinem großen Beutelschnabel klopfte er nur auf der Erde umher und kriegte keinen Halm zu fassen.

Dann wanderten die Gänse zum Teich.
Der Gänserich auch.
Alle Gänse schwammen auf dem Wasser, bloß der Gänserich lief am Ufer hin und her. Mit seinen langen Kranichbeinen konnte er nicht schwimmen.
Die Gänse kamen aus dem Wasser und schnatterten zu ihm hin, aber der Gänserich konnte nur mit einem „Kikeriki!" antworten.

Da schlich sich auf einmal ein Fuchs herbei.
Erschrocken gagsend, flogen die Gänse auf und davon.
Bloß einer konnte nicht fliegen – unser Gänserich. Die Rabenflügel trugen ihn nicht. Er rannte, so schnell er konnte, mit seinen Kranichbeinen, doch sein Pfauenschwanz blieb im Schilfgras hängen.

Da packte ihn der Fuchs bei dem langen Schwanenhals und zerrte ihn mit sich. Das sahen die Gänse, flogen dem Fuchs nach, fielen über ihn her und zwickten und zwackten ihn von allen Seiten, bis der Fuchs den Gänserich losließ und sich aus dem Staube machte.

„Ich danke euch, liebe Gänse", rief der Gänserich. „Nun weiß ich, was ich zu tun habe."
Und er gab allen Tieren zurück, was er von ihnen eingetauscht hatte:

dem Schwan den langen Hals, dem Pelikan den Beutelschnabel, dem Kranich die Stelzbeine, dem Raben die schwarzen Flügel, dem Pfau den bunten Federschwanz und dem lieben, guten Hahn den Kamm samt Bart und Kikeriki.
Und nun sah der Gänserich wieder wie ein Gänserich aus
und war nicht mehr dumm und auch nicht mehr neidisch.
Es war ein netter hübscher weißer Gänserich.

INHALTSVERZEICHNIS

Originaltitel: Сказки и картинки

Lizenzausgabe für Deutschland, Österreich, Schweiz
23. Auflage 2016
Druck und Bindung: Neografia Martin
Printed in Slovakia

ISBN 978-3-928885-14-0
www.leiv-verlag.de